サザエさん

①

長谷川町子

朝日新聞社

1

2

3

6

9

10

17

21

23

34

35

41

⑤

⑥

⑦

45

46

49

57

69

76

88

95

114

115

126

127

129

131

133

①

②

142

サザエさん　　①

1994年 9 月20日　第1刷発行
1994年10月20日　第4刷発行

著　　　者　　長谷川町子

発 行 者　　天 羽 直 之
印刷・製本　　川口印刷工業株式会社
発 行 所　　朝日新聞社
　　　　　　　〒104-11 東京都中央区築地5-3-2
　　　　　　　電話　03(3545)0131（代表）
　　　　　　　編集＝書籍第一編集室　販売＝出版営業部
　　　　　　　振替　00100-7-1730

　　　　© (財)長谷川町子美術館　編集協力　(株)C・A・L
　　　　　　　　　　　　　　　1994 Printed in Japan
　　　　　　　　　　ISBN4-02-260951-6